Livraison d'amoureux à domicile

Cathy Ytak

Mini Syros Romans

Pour Catherine Richard,
et ses tartes au saint-nectaire

Pour Gilles Abier
et à nos amoureux croisés

Et à Thomas Scotto, pour le printemps

Couverture illustrée par Julia Wauters
© 2014 Éditions SYROS, Sejer,
25, avenue Pierre-de-Coubertin, 75013 Paris
ISBN : 978-2-74-851458-2

CHAPITRE 1

—J'en ai marre ! Si c'est comme ça, je ne vous fais plus à manger ! Vous vous débrouillerez tout seuls.

Maman s'est levée de table. La porte de la cuisine a claqué derrière elle.

J'ai regardé Lison. Du haut de ses dix ans trois quarts et de son mètre trente-sept, ma frangine m'a envoyé deux rafales de mitraillette en plein dans la tête, rien qu'avec les yeux. Je me suis ratatiné sur ma chaise et j'ai pensé que quelque chose ne tournait pas rond.

J'ai rembobiné le film de l'histoire.

Ma mère pose une barquette en plastique sur la table. Ça sent les légumes de chez Surgelés spécial micro-ondes. Normal.

Moi, j'ai huit ans, je suis en CE2. Je mange des cornichons avec tout, c'est ma spécialité, j'adore ça. Sinon, je suis un garçon comme les autres. Je demande donc des cornichons pour manger avec les légumes.

Et là, maman explose.

Et ça, c'est pas normal-normal.

Alors j'ai rembobiné le film un peu plus.

Papa nous ramène chez maman parce qu'on est dimanche soir. Maman guette notre arrivée par la fenêtre. On grimpe les escaliers. Elle nous embrasse, elle est contente de nous retrouver. Et triste derrière son sourire parce que papa est reparti sans même lui parler.

Si je rembobinais le film au début, on pourrait voir maman éplucher des légumes frais du marché, avec papa, tout en riant. Mais là, c'est du souvenir préhistorique.

Lison m'a coupé dans mon film et ramené au présent.

– Vincent, pourquoi tu l'embêtes avec tes cornichons ? Tu vois pas qu'elle est malheureuse ?

– Elle veut plus nous faire à manger !

– Ça, c'est vrai, et même que si ça continue…

– Si ça continue, quoi ?

– On va mourir de faim.

– T'es sûre ?

– Archi-sûre.

Et quand Lison est archi-sûre de quelque chose, c'est que c'est archi-sûr pour de vrai.

J'ai eu comme un creux à l'estomac. Un creux de faim énorme. Je suis allé chercher le bocal de cornichons dans le placard. J'ai mangé tout ce qui restait, en silence. Puis Lison a ouvert le frigo. Il était presque vide.

– Tu te souviens des gâteaux à la crème ?

– Et des crêpes au miel !

– Et des brioches à la myrtille !

– Arrêêêête…

On ne mange plus de gâteaux depuis que papa est parti.

Avec Lison, on est allés se brosser les dents et se coucher tout seuls. Maman est venue éteindre la lumière. Même dans le noir, on sentait que sa voix était chiffonnée.

J'avais déjà fermé les yeux quand j'ai entendu Lison chuchoter :

– Vincent, tu dors ? J'ai une idée géniale pour que…

Sa phrase était tellement longue que je me suis endormi avant la fin.

Je ne savais pas que ça faisait dormir, moi, l'abus de cornichons.

CHAPITRE 2

Heureusement, Lison n'avait pas oublié son idée géniale pendant son sommeil et me l'a répétée dès son réveil: on allait préparer nous-mêmes de quoi ne pas mourir de faim.

On a d'abord cherché ce qui était indispensable à notre survie.

– Des corni…

Je n'ai pas terminé ma phrase, j'ai baissé la tête pour éviter le coussin du canapé (le rouge, avec des pois noirs).

– Oublie tes cornichons.

– Alors, des gâteaux.

Pour une fois, Lison était d'accord avec moi. Avec des gâteaux, on ne peut pas mourir de faim.

Ça s'est compliqué quand j'ai ajouté :

– Et puisque t'es une fille, c'est toi qui dois les faire.

Lison a sauté à pieds joints sur le canapé et s'est mise à hurler :

– Ça va pas la tête ? Je ne suis pas une fille à faire des gâteaux, moi !

C'est vrai que Lison, c'est plutôt une fille à partir à l'assaut des dragons et à ramper dans les caves pleines de toiles d'araignée.

– Moi non plus je sais pas ! Je te rappelle que je n'ai que huit ans, moi, et que c'est toi la plus vieille (j'ai crié aussi fort qu'elle). Il va falloir qu'on fasse des efforts tous les deux ! Alors j'oublie (un peu) mes cornichons, et toi t'oublies carrément que t'es une fille qui ne veut pas faire des gâteaux.

Lison est partie comme une flèche, piquée au vif, et est revenue avec un gros livre poussiéreux, intitulé *La véritable cuisine de famille de tante Marie*.

– Je crois que j'ai trouvé ce qu'il nous faut.

– Mais c'est vieux comme la télé en noir et blanc, ton machin ! C'était le livre de cuisine de la mémé de grand-mémé, au moins.

– On s'en fiche ! Un gâteau, c'est toujours un gâteau.

– Y a même pas d'images ! Et puis c'est écrit tout petit et c'est plein de phrases compliquées… Regarde ça : *Comment choisir un fourneau économique ou un four de campagne…* T'y comprends quelque chose, toi ?

– Non.

On est restés un moment à réfléchir.

– Lison…

– Hum, quoi… ?

– Tu te souviens ? Quand maman faisait un quatre-quarts, elle mettait des œufs dans le…

– Le cul-de-poule !

On a pouffé de rire. En fait, c'est juste un bol avec un fond arrondi, mais les pâtissiers appellent ça un cul-de-poule, ça fait plus sérieux.

– Elle ajoutait de la farine…

– Et du sucre…

D'un seul coup, on s'est dit que c'était pas compliqué, même sans cul-de-poule (parce que papa est parti avec).

Il restait trois œufs dans le frigo. Et dans le placard on a trouvé du sucre, de la farine de seigle complète, et une boîte de lait en poudre.

– C'est quoi, le seigle ? j'ai demandé.

– Je sais pas. Mais c'est marqué farine dessus. Avec du lait, ça devrait aller.

On a mis de la poudre de lait dans de l'eau, en dosant un peu au hasard.

Ça a fabriqué des grumeaux.

On les a fouettés dans un saladier avec du sucre et ça marchait super. On a ajouté les œufs. Ça se mélangeait pas bien-bien, alors j'ai sorti le mixeur pour la soupe.

Ça a giclé partout dans la cuisine. Lison hurlait :

– Jette la farine, jette la farine !

On a mis tout le paquet de farine d'un coup. On n'arrivait plus à touiller tellement c'était compact, mais ça formait une pâte quand même, qu'on a mise dans un moule.

– Ça sent drôle, tu trouves pas ?

– Mais non, mais non, c'est parce que c'est cru !

Lison courait autour de la table en poussant des cris de Sioux.

Elle m'a embrassé sur le front et a déclaré que j'étais le meilleur pâtissier du monde.

J'étais fier, mais j'ai dit :

– Attends, tout est dans la cuisson !

– Combien de temps on le laisse ? Une heure ? À 220 degrés ?

Un moment après, j'ai vu que ma sœur comptait sur ses doigts en faisant la grimace.

– Qu'est-ce que t'as ?

– Je me demande s'il fallait bien mettre du lait… Et puis j'ai comme l'impression qu'on a oublié quelque chose.

– Quoi ?

– Le beurre, on a oublié le beurre !

J'ai haussé les épaules.

– C'est grave ?

Là, Lison m'a regardé droit dans les yeux :

– Archi-grave.

Et c'était aussi archi-trop-tard.

On a sorti un truc bizarre du four, un peu brûlé, plutôt compact.

– Beuh, maintenant ça sent…

– Comme… le pain qu'on mange avec les crevettes !

– Le pain de seigle ?

Un quatre-quarts sans cul-de-poule, sans beurre et avec de la farine de seigle complète trop cuite…

Et la cuisine qui ressemblait aux Antilles après le passage du cyclone Alphonse…

Quand maman est arrivée, elle a crié très fort :

– Mais c'est quoi cette odeur ? C'est horrible ! Qu'est-ce que vous avez fabriqué ?

Lison a été super. Elle a dit que c'était moi qui avais eu l'idée de faire de la pâtisserie.

J'ai essayé de la fusiller rien qu'avec les yeux, comme elle le fait, elle. Mais ça n'a pas marché : elle regardait (prudemment) ailleurs.

Alors, à peine couchés, j'ai résumé la situation :

– Ce soir, on a mangé des pâtes. Mais demain il n'y en aura plus. On a fini les œufs, la farine et le sucre, et même le lait en poudre. Il n'y a plus de cornichons…

Là, j'ai failli me mettre à pleurer.

Heureusement, Lison a chuchoté :

– T'en fais pas, j'ai une idée géniale !

Cette fois-ci, pour être sûr de ne pas m'endormir, j'ai rallumé la lumière et gardé les yeux grands ouverts.

Et j'ai écouté ma sœur jusqu'au bout.

CHAPITRE 3

— J'ai réfléchi, a dit Lison en se frottant les yeux. Si maman ne nous fait plus à manger…

Je lui ai coupé la parole :

— C'est parce qu'elle ne nous aime plus !

— Mais non, t'es bête ! C'est juste parce qu'elle est triste. Et elle est triste parce qu'elle est seule.

— Alors, si elle n'est plus triste ni seule, elle nous refera à manger, tu crois ?

— Oui, c'est sûr. C'est mathématique.

Ça paraissait simple, mais c'était compliqué. Heureusement, Lison, elle connaît archi-bien la vie et des fois elle regarde la télé (des feuilletons où la vie est plus belle, justement).

– En fait, ce qu'il lui faudrait, c'est un nouveau mari.

– Ah… Comme papa ?

– Oui, mais un mieux si possible. Enfin, comme un papa qui resterait gentil avec maman, c'est ce que je veux dire. Qu'est-ce que tu penses du père de Kevin ? Il est divorcé, ça irait bien.

J'ai sursauté.

– Kevin ? Celui qu'est dans ma classe ? Mais t'es tombée sur la tête ! Kevin, c'est un imbécile et un tricheur. Et il n'arrête pas de dire du mal des filles, je te signale.

– Je ne vois pas le rapport.

– Si on prend le père, ça m'étonnerait pas qu'on nous oblige à prendre le fils en même temps.

– Ah oui… Alors on oublie le père de Kevin, t'as raison.

Lison est restée un moment silencieuse.

J'ai hasardé :

– Il y aurait bien le voisin du troisième… Tu sais, le type avec le gros chien noir.

– Celui qui a des poils partout ?

– Ben… comment tu veux que je le sache, moi ?

– Je te parlais du chien, andouille, s'est énervée Lison, avant d'ajouter en soupirant : C'est vraiment n'importe quoi. Tu sais bien que maman a horreur des chiens, et celui-là, en plus, il bave. Et puis il est trop vieux.

– Le chien ?

– Mais non, le voisin. Oh, et puis zut, tu m'embrouilles à la fin, on dirait que tu le fais exprès ! Si t'as rien de mieux à proposer, tant pis. On va mourir de faim, et puis c'est tout.

– T'énerve pas… Attends un peu…

On a passé en revue absolument tous les gens qu'on connaissait, mais il y avait toujours quelque chose qui n'allait pas. Trop vieux, trop chauve, trop divorcé, trop ci ou trop ça.

C'était désespérant.

Soudain, j'ai eu une vraie idée, intelligente et tout et tout.

– Je sais, je sais! Cédric Lesueur. L'instituteur qu'on avait en maternelle. Tu te rappelles? Il est super gentil! On le connaît, il nous aime bien. Et puis il habite juste à côté, alors ça sera super pratique pour le déménagement, et maman aussi, elle le connaît bien. Il est même venu à la maison, il n'y a pas longtemps…

Lison a poussé un soupir à faire tomber les murs, avant de m'expliquer que Cédric Lesueur, il venait justement de se marier. Et que c'était même la raison pour laquelle il était passé à la maison. Pour emprunter des chaises parce qu'il en manquait pour les invités et pour s'excuser par avance du bruit de la fête.

– Alors, tu comprends, a conclu Lison, je crois que ça va plus être possible.

– Même si on lui demande gentiment ?

– Oui, et même pour nous faire plaisir et faire plaisir à maman.

Cette fois, on avait épuisé toutes les idées en stock.

J'ai éteint la lumière, j'ai souhaité une bonne nuit à ma sœur et j'ai fermé les yeux. Je me suis senti soudain très seul et très malheureux, lorsque j'ai entendu Lison se retourner dans son lit tout en marmonnant :

– Un mari, c'est dur à trouver, mais un amoureux… Un amoureux, ça devrait pas être si compliqué à dénicher quand même… Mais où est-ce que…

Soudain, elle a presque crié :

– Rallume, Vincent, rallume ! Je sais !
Je l'ai trouvé !

J'ai rallumé la lumière et j'ai fait signe
à Lison qu'elle était folle de parler si fort,
que maman dormait dans la chambre d'à
côté, quand même. Elle s'est vexée.

Je me suis radouci, je lui ai dit :

– C'est vrai ? T'as trouvé ? Alors dis-moi,
c'est qui ?

Comme Lison ne répondait pas, j'ai
tourné la tête vers elle et j'ai vu qu'elle
rougissait à vue d'œil.

J'ai attendu qu'elle dérougisse et qu'elle
puisse continuer à parler.

Au bout de trois heures de discours,
au moins (il était super tard et j'étais sur
le point de m'endormir pour de bon), j'ai

fini par comprendre que Lison voit tous les matins l'apprenti pâtissier en allant à l'école, et qu'il est beau, qu'il a des yeux bleus et qu'il a au moins vingt ans. Peut-être même vingt et un. Et que ça devrait aller pile pour maman.

Je n'ai rien dit, mais moi aussi je vais à l'école avec Lison et je n'ai jamais vu l'apprenti pâtissier. On ne doit pas regarder les mêmes choses, elle et moi.

– Et c'est toi qui vas aller lui parler.

J'ai sursauté.

– Moi ? Pourquoi moi ?

Lison a secoué la tête. Elle a rougi à nouveau.

– Parce que, parce que.

Et quand Lison dit « parce que, parce que », c'est DÉ.FI.NI.TIF.

CHAPITRE 4

Sur le chemin de l'école, Lison
m'a demandé de prendre un peu
d'avance sur elle. Elle m'a dit :

– Vas-y, je te suis de loin. Je ne veux
pas qu'il me voie…

L'apprenti pâtissier prenait le frais
devant la boutique. J'ai jeté un coup
d'œil en arrière. Ma frangine avait dis-
paru. Elle devait s'être cachée pour
mieux nous observer.

Alors j'ai rassemblé tout mon courage
et je suis allé parler à l'apprenti.

Il m'a écouté en ouvrant grand ses yeux bleus, comme s'il ne comprenait rien. C'était pourtant pas compliqué de comprendre qu'il fallait qu'il vienne livrer lui-même des gâteaux à maman, parce qu'elle était triste et qu'elle avait besoin d'un amoureux, que sinon on allait mourir de faim et que je n'avais même plus de cornichons…

J'ai bien vu qu'il essayait de se défiler. Il m'a dit :

– Je ne sais pas si on livre pour si peu et puis, pour les commandes spéciales, faut voir avec la patronne, parce que moi…

– Mais non, c'est vous qui devez venir ! Sinon tout va rater. C'est très important, vous savez.

L'apprenti pâtissier a froncé les sourcils. Il allait répondre quelque chose… Mais la boulangère est sortie juste à ce moment-là de la boutique et lui a crié :

– Dis donc, Hector, ça fait un moment que je t'entends discuter dans la rue. File à l'intérieur, il y a du pain à sortir du four.

L'apprenti a obéi en silence. J'ai presque eu l'impression qu'il était soulagé.

J'allais repartir, lorsque la boulangère s'est adressée directement à moi :

– Eh, attends un peu, mon garçon ! Je te connais, toi ! T'es pas le fils de Lucille ?

– Oh, ben… non… Enfin, si.

La boulangère avait tout entendu et elle connaissait ma mère, en plus.

J'ai frissonné de la tête aux pieds.

– Et où tu voulais qu'il les livre, tes gâteaux ?

J'ai repris espoir et j'ai donné soigneusement l'adresse, l'étage, le numéro de l'interphone. J'allais rajouter notre numéro de téléphone quand elle m'a arrêté d'un geste de la main.

– C'est bon ! J'ai tout ce qu'il me faut. Ce sera fait. À vingt heures. Vingt heures précises.

– Alors, il va venir en personne ? m'a aussitôt demandé Lison.

– En personne.

– T'as bien donné l'adresse ?

– J'ai bien donné l'adresse.

– Et le numéro de l'interphone ?

– Mais oui !

– Il est beau, hein ?

– Qui ?

– Mais l'apprenti pâtissier, espèce de… de…

Heureusement, elle n'a pas fini sa phrase.

Après tout, si on ne mourait pas de faim, ce serait grâce à moi.

J'ai bien dit à Lison que la boulangère m'avait assuré qu'on serait livrés à vingt heures, vingt heures précises, une fois sa boutique fermée, parce qu'une livraison de trois gâteaux à 2,40 euros chacun, c'était une livraison TRÈS spéciale.

Le soir, maman n'avait pas fait à manger, et les placards étaient vides comme un désert sans sable. Il restait juste, bien planquées dans un coin, des biscottes et de la confiture.

Maman nous a expliqué qu'elle avait passé une commande de surgelés, mais que le camion du livreur était tombé en panne et qu'il ne pourrait pas venir avant deux jours. Elle n'avait pas eu le temps aujourd'hui, mais elle irait à la supérette demain, en sortant de son travail, acheter de quoi remplir le frigo. Avec des légumes frais et même du poisson sans arêtes, elle a ajouté.

On s'est regardés, Lison et moi, et on a pensé la même chose. Enfin, je crois.

Si maman voulait bien remplir le frigo, c'est qu'on n'allait pas mourir de faim tout de suite et ça, c'était une bonne nouvelle.

Ensuite, j'ai vu Lison faire la grimace et j'ai fait la grimace aussi, parce qu'on a pensé à une autre chose, tout de suite après. La même aussi, je crois. Et celle-là, elle était franchement très ennuyeuse : et si le livreur de gâteaux tombait en panne à son tour et ne pouvait pas venir ce soir ?

– En attendant, a dit maman, un peu embêtée, il reste des biscottes avec de la confit…

– T'en fais pas, m'man, l'a rassurée Lison. On n'a pas faim du tout ce soir. Hein, Vincent ?

J'ai senti mon ventre gargouiller, mais j'ai dit non d'un signe de la tête, tout en regardant la pendule de la cuisine, un peu inquiet.

À huit heures moins cinq, j'ai sorti les assiettes à dessert et j'ai crié (en essayant d'être très sûr de moi):

– Attention, il va y avoir une surprise!

Maman a sursauté et m'a regardé, très étonnée.

À ce moment-là pile, on a sonné à la porte.

On s'est précipités, Lison et moi, pour aller ouvrir.

Et là…

CHAPITRE 5

Ce n'était pas l'apprenti pâtissier, c'était la boulangère.
La boulangère!

J'ai regardé Lison, Lison m'a regardé. Et dans nos yeux on voyait une montagne de déception. La livraison d'amoureux avait raté. On n'avait même plus faim pour les gâteaux.

Ce qui s'est passé après, on ne l'a pas compris tout de suite.

On a entendu :

– Anaïs ? Mais qu'est-ce que tu fais là ? Entre !

Lison m'a donné un coup de coude :

– Tu savais que la boulangère s'appelait Anaïs, toi ?

– Non…

Mais c'était pas tout.

La boulangère a serré maman très fort dans ses bras et lui a dit :

– Lucille ! Ça fait tellement longtemps que je t'ai pas vue à la boutique !

– Mais entre, entre !

Anaïs a suivi maman dans la cuisine, sans un regard pour nous, et elles ont soigneusement fermé la porte derrière elles.

On est restés, Lison et moi, comme deux cornichons abandonnés dans l'entrée.

On a collé l'oreille contre la porte.

La boulangère, elle racontait à maman tout ce que j'avais expliqué à l'apprenti.

Lison m'a redonné un coup de coude :

– T'as parlé de cor…

– Mais non… Attends… Chut…

– Pousse-toi, laisse-moi écouter, j'ai l'oreille fine…

– Ah bon ? Et qu'est-ce qui te permet de dire ça ?

– Chuuut…

– Qu'est-ce qu'elles disent ? Qu'est-ce qu'elles disent ?

– Arrête de parler tout le temps, comment tu veux que je comprenne ?… Elles parlent… de piscine.

– De piscine ? T'es sûre ?

– Oui, de piscine. Elles y allaient ensemble, au collège, quand…

– Quand quoi ?

– Mais chuuut, j'entends plus.

– Alors ?

– Elles parlent de… Maman dit que c'est fin, ou que c'est la fin.

– Elles vont manger les gâteaux ? Elles ont faim ?

– Non, maman parle de papa, je crois.

– Ah… Et puis quoi ?

J'ai bousculé Lison pour coller mon oreille à la porte.

Et là, d'un seul coup, on a entendu…

CHAPITRE 6

On a entendu un petit rire. D'abord tout doux, et puis plus fort. Et encore plus fort. Et puis de gros éclats de rire, et celle qui riait le plus, c'était maman. Et le rire de maman, il était É.NOR.ME ! Comme si elle avait des valises de rire en retard.

Moi, j'en pouvais plus. D'abord parce que j'avais faim, et puis je voulais savoir pourquoi maman riait si fort, et pourquoi Anaïs, elle…

Alors j'ai gratté à la porte.

Lison m'a arrêté :

– Qu'est-ce que tu fais ?

– T'as pas pensé qu'à force de rire elles vont avoir soif, et quand on a soif, après on a faim, et la boulangère a apporté un éclair à la pistache, une religieuse au chocolat et un baba au rhum, et…

Lison n'a pas résisté. Elle a carrément ouvert la porte de la cuisine, sans frapper.

La première chose qu'on a remarquée, c'est que ni maman ni la boulangère n'avaient touché aux gâteaux. Et elles riaient tellement qu'elles ne nous ont même pas vus.

Anaïs parlait des filles, et que les mecs c'était pas ça, mais que les copines, oui, c'était le meilleur, les copines. Qu'elles allaient rattraper le temps perdu, comme dans la vie qu'est plus belle à la télévision, à part que là c'était en vrai. Quand d'un seul coup maman a tourné la tête et nous a découverts, immobiles dans l'encadrement de la porte.

Elle avait tellement ri qu'elle était toute rouge. Elle s'est essuyé les yeux et nous a dit :

– Restez pas plantés là !

Anaïs s'est levée.

Maman a protesté :

– Tu peux rester !

– Non, non, faut que je file. Et puis je suis sûre que tes enfants attendent le dessert…

Une fois Anaïs partie, on a mangé les gâteaux. Moi la religieuse au chocolat, Lison l'éclair à la pistache, maman le baba au rhum.

Elle avalait la dernière bouchée quand elle nous a dit :

– J'ai invité Anaïs à venir dîner à la maison, demain soir. Et comme c'est son jour de congé, c'est nous qui allons lui préparer le dessert. Qu'est-ce que vous en pensez ? On pourrait lui faire un quatre-quarts avec…

– Des cornichons ?

Je l'ai pas fait exprès. Le mot est sorti tout seul de ma bouche.

Alors il y a eu un grand silence dans la cuisine. Lison avait ressorti instinctivement sa mitraillette et me fixait des yeux.

J'ai cru que tout allait reprendre au début et j'ai eu très peur. Mais non, pas du tout. Maman nous a serrés dans ses bras en riant et elle a ajouté :

– J'ai une très bonne recette…

La recette du quatre-quarts
de Lucille pour Anaïs

Ingrédients :

- Trois œufs (soit environ 180 grammes)
  Peser les œufs et préparer :
- Le même poids de sucre
- Le même poids de farine
- Le même poids de beurre (très mou)
- Une pincée de sel
- Du zeste de citron ou un sachet
  de sucre vanillé

– Préchauffer le four à 180 °C.

– Casser les œufs, séparer les jaunes des blancs. Mettre les jaunes d'œufs dans un saladier et ajouter le sucre. Battre au fouet jusqu'à ce que le mélange blanchisse et devienne mousseux.

– Ajouter le beurre ramolli et la farine, petit à petit. Bien mélanger à l'aide d'une fourchette (ou avec les doigts).

– Ajouter du zeste de citron ou de la vanille.

– Dans un autre saladier, battre les blancs en neige avec une pincée de sel, jusqu'à obtenir des blancs très fermes. Incorporer les blancs en neige à la préparation. Mélanger très délicatement pour ne pas trop les casser.

– Beurrer un moule à gâteau. Verser la préparation (attention, elle ne doit remplir que les deux tiers du moule : le gâteau va gonfler en cuisant).

– Laisser cuire pendant quarante minutes environ en surveillant la cuisson. Si on plante la pointe d'un couteau dans le gâteau et qu'elle ressort sèche, c'est que le gâteau est cuit.

– Démouler et laisser refroidir sur une grille.

Vous pouvez décorer le gâteau avec des rondelles de cornichon (mais ça, c'est une idée de Vincent, et ce n'est pas du tout obligé).

L'auteure

Cathy Ytak est née en 1962. Après des études de graphisme et de reliure artisanale, elle fait de nombreux petits boulots, travaille dans des cuisines et dans un magasin de photo, devient animatrice bénévole dans des radios libres, puis se dirige vers le journalisme professionnel, l'écriture et la traduction.

Son premier roman, *Place au soleil*, sort aux éditions du Seuil en 2000.

Aujourd'hui, son métier de traductrice du catalan lui laisse un peu de temps pour écrire des livres de cuisine, mais aussi et surtout des romans pour les enfants, les ados, et les adultes.

On peut la retrouver sur son blog :

http://www.ytak.fr

De la même auteure,
aux éditions Syros

Pour les plus jeunes :

Les Aventures du Livre de Géographie qui voulait voyager avant de s'endormir, coll. « Mini Syros Théâtre », 2010
(sélectionné par le ministère de l'Éducation nationale)

Pour les plus grands :

Les Murs bleus, coll. « Les uns les autres », 2006

Dans la collection
« Mini Syros Romans »

Suzanne a un truc
Anne Terral

Je suis amoureux d'un tigre
Paul Thiès
(sélectionné par le ministère de l'Éducation nationale)

Le Voleur de bicyclette
Leny Werneck

Livraison d'amoureux à domicile
Cathy Ytak

Mise en pages : DV Arts Graphiques à La Rochelle.
Achevé d'imprimer en janvier 2015
par Clerc (18200, Saint-Amand-Montrond, France)
N° d'éditeur : 10211360 – Dépôt légal : janvier 2014